Je veux pas aller à l'école

ISBN-978-2-211-09307-1
Première édition dans la collection « lutin poche » : octobre 2008

Loi numéro 49 956 du 16 juillet 1949 sur les publications
destinées à la jeunesse : septembre 2007
Dépôt légal : juillet 2012
Imprimé en France par Pollina à Luçon - L61574

Stephanie Blake

Je veux pas aller à l'école

lutin poche de l'école des loisirs
11, rue de Sèvres, Paris 6e

Il était une fois
un
lapin
COQUIN
que vous connaissez bien.
Lorsque sa maman lui dit:
« Demain c'est
ton premier jour d'école,
mon chéri ! »
il répondit :
« Ça va pas, non ! »

Lorsque
son
papa
lui dit :
« Mais, mon petit lapin,
tu vas apprendre l'alphabet »,
il répondit :
« Ça va pas, non ! »

Et
ce soir-là,
SIMON
n'arrivait
PAS
à s'endormir…

J'AI PEUR
J'AI PAS PEUR
J'AI PEUR
J'AI PAS PEUR
J'AI PEUR
J'AI PAS PEUR
CLIC!
CLIC!
CLIC!
CLIC!

« MAMAN ! »

«JE VEUX
PAS
ALLER À L'ÉCOLE !»
Lorsque sa maman lui dit :
«Tu es le
PLUS
courageux
de tous les petits lapins,
tu es mon
SUPERLAPIN»,
il répondit :
«Ça va pas, non !»

Le lendemain matin,
lorsque sa maman lui dit :
« Dépêche-toi
de manger tes tartines, mon
petit
lapin,
il faut bientôt partir pour
l'école ! »
il répondit :
« Ça va pas, non ! »

**En chemin,
lorsque son papa lui dit :
« Tu vas te faire des amis
et tu vas apprendre
plein de nouvelles choses.
Tu es mon
GRAND
lapin »,
il répondit :
« Ça va pas, non ! »**

Devant l'école,
lorsque son papa
l'embrassa
et lui dit :
« À tout à l'heure, mon chéri,
je te laisse ici »,
d'une
toute,
toute
petite
voix,
il répondit :
« Ça va pas, non ! »

ÉCOLE

À
l'école,
il
se
passa
mille
choses…

Tout
d'abord,
il pleura.

Puis,
il dessina.

À la récré, il joua.

À la cantine,
il mangea de la mousse au chocolat.

Ensuite, il se reposa.

L'après-midi,
il tambourina.

Et à quatre heures et demie
lorsque sa maman arriva et lui dit:
«On rentre à la maison mon chéri»,
Simon répondit:

Hh Ii Jj Kk Ll Mm Nn Oo Pp Qq
Yy Zz
Lundi 5 Septembre
Simon
Septembre
lundi
mardi
mercredi
jeudi
vendredi

«ÇA VA PAS,
NON !»

A